Dedico este livro a alguém especial:

_____

Que você capacite seu Eu para ser autor de sua história e gerenciar sua mente.

Se treinar, não tenha medo de falhar. Se falhar, não tenha medo de chorar.

E se chorar, corrija suas rotas, mas não desista.

Dê sempre uma nova chance para si e para quem você ama.

Só adquire maturidade quem usa suas frustrações para alcançá-la.

Copyright © 2021 por Augusto Cury

Todos os direitos reservados. Nenhuma parte deste livro pode ser utilizada ou reproduzida sob quaisquer meios existentes sem autorização por escrito dos editores.

PREPARO DE ORIGINAIS: Alice Dias
REVISÃO: Ana Grillo e Hermínia Totti
PROJETO GRÁFICO, DIAGRAMAÇÃO E CAPA: Estúdio Bogotá
ILUSTRAÇÕES: Letícia Naves
IMPRESSÃO E ACABAMENTO: Bartira Gráfica

CIP-BRASIL. CATALOGAÇÃO NA PUBLICAÇÃO
SINDICATO NACIONAL DOS EDITORES DE LIVROS, RJ

C988g
    Cury, Augusto, 1958-
        Gerencie suas emoções / Augusto Cury. - 1. ed. - Rio de Janeiro : Sextante, 2021.
        128 p. : il. ; 18 cm.

        ISBN 978-65-5564-225-4
        1. Inteligência. 2. Pensamento. 3. Inteligência emocional. 4. Emoções e cognição. 5. Ansiedade. 6. Saúde mental. I. Título.

21-72543	CDD: 152.4
	CDU: 159.942

Camila Donis Hartmann - Bibliotecária - CRB-7/6472

Todos os direitos reservados, no Brasil, por
GMT Editores Ltda.
Rua Voluntários da Pátria, 45 – Gr. 1.404 – Botafogo
22270-000 – Rio de Janeiro – RJ
Tel.: (21) 2286-9944 - Fax: (21) 2286-9244
E-mail: atendimento@sextante.com.br
www.sextante.com.br

Augusto Cury

Gerencie suas emoções

Técnicas para cultivar
uma mente livre e saudável

SUMÁRIO

CAPÍTULO 1 7
O que significa gerenciar as emoções?

CAPÍTULO 2 27
Gatilho da memória e autofluxo

CAPÍTULO 3 53
As janelas da memória e o estresse
causado pela aceleração do pensamento

CAPÍTULO 4 89
Como administrar a ansiedade
e o estresse

CAPÍTULO 5 107
O Eu pode estressar o cérebro
ou protegê-lo

CAPÍTULO 1

O QUE SIGNIFICA GERENCIAR AS EMOÇÕES?

Gerenciar as emoções é:

- Capacitar o Eu para ser gestor da própria mente.

- Deixar de ser espectador passivo e dirigir o script da própria vida.

- Ser livre para pensar, mas não ser escravo dos pensamentos.

- Administrar a ansiedade, o humor depressivo, a timidez e a impulsividade.

- Dominar o pessimismo e o conformismo.

- Reciclar o sentimento de culpa, as fobias, a autopunição e a autocobrança.

- Não gravitar em torno dos problemas.

- Filtrar estímulos: não sofrer pelo futuro nem ruminar o passado.

- Não abrir mão do descanso: férias, feriados, fins de semana, etc.

- Aprender a ter a mente tranquila, lúcida e ponderada.

QUESTIONAMENTOS FUNDAMENTAIS

O que você faz com seus pensamentos perturbadores? Como reage diante dos fantasmas que assombram sua mente? Como lida com o sofrimento por antecipação? Você sabe reciclar ideias pessimistas? Sente que sua mente é agitada, dominada pela ansiedade e pelo estresse?

O pior escravo não é aquele que é algemado por fora, mas aquele que não é livre por dentro.

Você é verdadeiramente livre?

Uma pessoa madura não dá as costas para seus problemas, mas aprende a transformar o caos em oportunidade para crescer. Um ser humano maduro não abre mão de escrever os melhores textos de sua vida, mesmo atravessando vales de lágrimas e frustrações.

Se você abrir mão de escrever a própria história, provavelmente seus erros, conflitos e traumas a escreverão. A escolha é sua – unicamente sua.

E para escolher ser o roteirista da sua vida, você precisa aprender a administrar a ansiedade e colocar sua saúde mental e suas relações íntimas no topo de sua lista de prioridades. Lembre-se de que uma pessoa equilibrada tem mais capacidade de contribuir para formar pessoas serenas. Uma pessoa feliz e saudável tem mais possibilidade de fazer os outros felizes e saudáveis. Por sua vez, uma pessoa emocionalmente estressada tem mais chance de adoecer os outros.

Inscreva esta ferramenta em alto--relevo na mente e nunca se esqueça: Se a sociedade o abandonar, ferir ou caluniar, ainda assim será possível caminhar. Mas, se você mesmo se abandonar e se ferir, não haverá solo para pisar.

Vivemos espremidos em escolas, empresas, congressos, reuniões, mas nunca fomos tão solitários. Cinquenta por cento dos pais jamais perguntou aos filhos quem eles são, que fantasmas os assombram, que medos lhes sequestram a tranquilidade, que lágrimas nunca tiveram coragem de chorar.

Esses são exemplos marcantes da solidão social. No entanto, vivemos a pior solidão quando não somos capazes de fazer essas perguntas a nós mesmos.

Você já se fez essas perguntas?

Você vive na superfície do seu planeta psíquico ou penetra nas camadas mais profundas da sua mente?

Não é possível controlar a ansiedade e encontrar o equilíbrio emocional se nos abandonamos pelo caminho. Excelentes profissionais, como médicos, psicólogos, professores, executivos e juristas, são ótimos para suas instituições, mas péssimos para si mesmos. Colocam-se em último lugar em suas agendas. Como não aprendem a proteger a memória, administrar os pensamentos e gerenciar o estresse, acabam se tornando seus próprios algozes.

ESCUTE-SE!

Alguns jovens só conseguem perceber que há algo errado em sua vida quando se tornam adultos frustrados, cujos sonhos foram enterrados. Alguns pais só conseguem perceber a crise familiar depois que a relação com os filhos está esfacelada. Alguns profissionais só conseguem perceber que perderam o encanto por seu ofício quando trabalhar se torna um martírio. Alguns usuários de drogas só percebem sua dependência quando estão destruídos física, social e emocionalmente.

Em geral, um simples ruído no carro já nos perturba e nos faz ir ao mecânico. Mas muitas vezes nosso corpo grita por meio de fadiga excessiva, insônia, compulsão, tristeza, dores musculares, dores de cabeça e outros sintomas psicossomáticos, e não procuramos ajuda.

Você ouve o inaudível, a voz do corpo e da mente? Ou só ouve o que é audível?

Algumas pessoas só ouvem o inaudível quando estão num hospital, enfartadas, quase mortas ou completamente aprisionadas pelas drogas. Seja inteligente: respeite sua saúde, opte pela vida!

A BREVIDADE DA VIDA REQUER MATURIDADE

Vivemos a vida como se ela fosse interminável. Mas entre a meninice e a velhice há um curto intervalo de tempo.

Olhe para sua história! Os anos que você já viveu não passaram muito rápido?

Para as pessoas superficiais, a rapidez da vida as estimula a viver de maneira destrutiva, sem pensar nas consequências de seus atos. Para os sábios, a brevidade da vida os convida a valorizá-la como um diamante de inestimável valor.

Ser sábio não significa ser perfeito, não falhar, não chorar e não ter momentos de fragilidade. Ser sábio é aprender a usar cada dor como uma oportunidade para aprender lições, cada erro como uma possibilidade de corrigir rotas, cada fracasso como uma chance de começar tudo de novo.

Nas vitórias, os sábios são amantes da alegria; nas derrotas, são amigos da reflexão.

CONTROLAR O ESTRESSE É FUNDAMENTAL

A Teoria da Inteligência Multifocal, desenvolvida por mim ao longo de décadas de pesquisas, mostra que construímos pensamentos não apenas porque queremos construí-los conscientemente, por uma decisão do Eu. Na verdade, existe uma rica produção de pensamentos promovida por três outros fenômenos inconscientes: o gatilho da memória, o autofluxo e as janelas da memória.

O Eu é – ou deveria ser – o ator principal do teatro da mente, e esses três fenômenos são atores coadjuvantes. O maior desafio do Eu para gerenciar as emoções, a ansiedade e o estresse é sair da plateia e assumir seu lugar no palco.

Mesmo que nunca tenha subido num palco de teatro, você pode e deve atuar no palco da mente.

Quando você está numa situação de risco – por exemplo, diante da iminência de sofrer um acidente de carro, uma picada de cobra ou até mesmo uma crítica intensa –, sua ansiedade se eleva rapidamente, produzindo aumento da pressão arterial, da frequência respiratória e das batidas do coração, preparando-o para a reação de luta ou fuga.

Esse estresse representa um mecanismo de defesa saudável que procura proteger a vida. Do mesmo modo, ao fazer uma prova, ao iniciar um relacionamento ou ao se lançar em uma aventura radical, seus níveis de ansiedade e estresse podem, em tese, ser saudáveis e positivos.

A ansiedade é um estado de tensão emocional gerado por conflitos, fobias, perda, frustração, traição, inveja, ciúme, sentimento de incapacidade, bem como por excesso de trabalho intelectual, de informação, de preocupação e pelo uso desmedido da internet e das redes sociais em geral.

Já o estresse é um estado de ansiedade canalizado para o metabolismo cerebral, gerando sintomas psicossomáticos, ou seja, manifestações físicas.

Mas há ansiedade e estresse saudáveis, que animam e preservam a vida.

Por outro lado, quando a ansiedade gera uma mente hiperacelerada, agitada, impaciente e impulsiva, o estresse que ela produz é doentio. Esse tipo de estresse, além de gerar sintomas psicossomáticos mais duradouros, asfixia o ânimo, a motivação, a curiosidade, a resiliência, o raciocínio esquemático e a capacidade de lidar com frustrações.

Portanto, a ansiedade e o estresse são nocivos quando bloqueiam as habilidades intelectuais e emocionais e perpetuam sintomas físicos como cefaleias, dores musculares, queda de cabelo, hipertensão arterial e doenças autoimunes.

CAPÍTULO 2

GATILHO DA MEMÓRIA E AUTOFLUXO:

Copilotos da aeronave mental

GATILHO DA MEMÓRIA: A FONTE DE INTERPRETAÇÃO INICIAL

O Eu, que representa a capacidade de escolha, não está sozinho em sua magistral tarefa de construir experiências psíquicas. O gatilho da memória e o autofluxo são fenômenos inconscientes que leem a memória e constroem cadeias de pensamento. Se usarmos uma aeronave como metáfora, esses dois fenômenos seriam importantíssimos copilotos da aeronave mental.

O gatilho da memória é acionado em milésimos de segundo por um estímulo extrapsíquico (imagens, sons, sensações táteis, gustativas e olfativas) ou intrapsíquico (imagens mentais, pensamentos, fantasias, desejos, emoções) e abre janelas da memória, ativando uma interpretação imediata. Todos os dias, milhares de imagens que vemos são interpretadas pelo acionamento do gatilho da memória e pela consequente abertura das janelas.

Esse processo ocorre sem a intervenção do Eu. Portanto, nossas primeiras impressões e interpretações do mundo são inconscientes.

Diariamente, também, milhares de palavras escritas ou faladas são identificadas não pelo Eu, mas pelo gatilho, que abre múltiplas janelas da memória. Esse fenômeno também é chamado *autochecagem da memória*.

Se fosse função do Eu encontrar cada janela a partir dos estímulos com que temos contato, não teríamos uma resposta interpretativa inicial tão imediata; não seríamos a espécie pensante que somos.

A ação do gatilho da memória é fascinante.

Ele checa os estímulos a partir de bilhões de dados na memória com uma rapidez surpreendente. Ouvimos uma palavra e imediatamente encontramos o significado dela. Assim, temos consciência e fazemos uma interpretação instantânea dos estímulos exteriores. Sem o fenômeno do gatilho da memória, o Eu ficaria confuso e não identificaria a linguagem, o rosto das pessoas, os sons do ambiente, a imagem da residência, do carro, do celular.

UM INIMIGO QUE MORA EM CASA

Se por um lado o gatilho da memória é um grande auxiliar do Eu, por outro pode causar grandes desastres. Quando abre janelas erradas ou doentias, leva a interpretações superficiais ou preconceituosas, fobias, aversões ou comportamentos destrutivos. Portanto, o gatilho da memória, que é um copiloto ou ator coadjuvante do Eu, pode também escravizá-lo.

Quem tem claustrofobia – medo de estar em lugares fechados – sabe muito bem como isso funciona. Quem tem síndrome do pânico, embora não conheça a relação entre o gatilho da memória e as janelas doentias, sabe como ela é cruel. Quando palavras, imagens ou pensamentos abrem arquivos doentios, o Eu entra numa armadilha psíquica para a qual não havia se programado, o que bloqueia sua lucidez e sua coerência.

Se o Eu não souber pilotar a aeronave mental nessas situações, ele ficará dominado ou paralisado.

Certa vez, um aluno brilhante foi mal numa prova e registrou um trauma – uma janela *killer*. Ele havia estudado, sabia a matéria, mas ficou tenso, desenvolveu a síndrome do circuito fechado da memória e não conseguiu recordar as informações. Ele ficou abalado e registrou essa frustração. Estudou mais ainda para a prova seguinte. Quando chegou o dia, o gatilho da memória entrou em cena e abriu a janela *killer* que continha o arquivo do medo de falhar, então novamente fechou o circuito da memória.

O resultado? Não conseguiu abrir os demais arquivos que guardavam as informações da matéria que estudara. Teve uma ansiedade intensa e um péssimo rendimento. Toda vez que fazia uma prova, o mesmo processo se repetia. O aluno perdeu a confiança em si. Como consequência, foi considerado relapso, irresponsável, deficiente, incapaz.

Infelizmente, dezenas de milhares de alunos que poderiam brilhar no teatro social são excluídos porque não sabem controlar seu estresse, não aprenderam a romper o cárcere das janelas *killer*.

Uma das minhas súplicas à educação mundial é que professores, psicopedagogos e psicólogos conheçam a última fronteira da ciência: o processo de construção de pensamentos e as armadilhas que ele contém. Mas muitos desses profissionais nem sequer ouviram falar que o *Homo sapiens* vivencia a síndrome do circuito fechado da memória, que o faz reagir por instinto, como se estivesse numa grave situação de risco. Nesse momento, o Eu, que representa a capacidade de decidir e escolher, perde seu acesso a milhões de informações que seriam necessárias para dar respostas sensatas diante das provas, das perdas, dos desafios, das crises e dos percalços da vida.

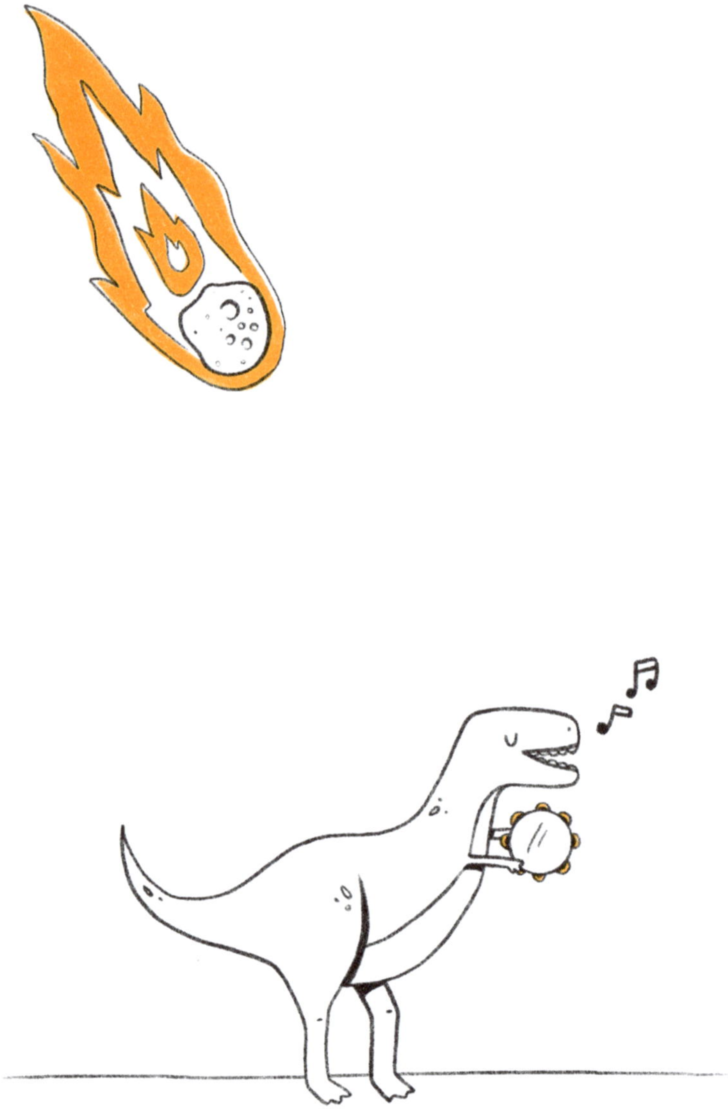

E você, como controla seu estresse quando o mundo desaba sobre sua cabeça?

Seu Eu reage por instinto e agride quem o agrediu, ou se recolhe dentro de si, critica o circuito fechado da memória e recupera sua liderança?

Aprender a gerenciar os pensamentos perturbadores e a proteger a emoção faz toda a diferença para você controlar a ansiedade e atingir o ponto de equilíbrio.

Entretanto, saiba que você, eu ou qualquer outro ser humano jamais será plenamente equilibrado. Até porque cada pensamento se organiza, experimenta o caos e se reorganiza em outros pensamentos, evidenciando que nosso psiquismo está em constante "desequilíbrio" no processo construtivo. Esse desequilíbrio é normal.

Mas uma coisa é o "desequilíbrio do processo construtivo" dos pensamentos e das emoções; outra é o "desequilíbrio do gerenciamento do Eu" das nossas reações, atitudes e respostas.

Entretanto, com base em minhas pesquisas sobre a mente humana por décadas e na atuação em mais de 20 mil sessões de psicoterapia e consultas psiquiátricas, posso afirmar que todos temos desequilíbrios no gerenciamento do Eu.

Por quê? Por causa das armadilhas existentes nos bastidores da mente, das janelas *killer* ou traumáticas que desenvolvemos ao longo da vida e, em especial, porque nosso Eu não foi educado para gerir a psique.

Nosso Eu – ou seja, nossa consciência crítica e capacidade de escolha – é formado de maneira frágil, insegura, reativa (reage pelo mecanismo do "bateu-levou"), sem ter habilidade para proteger a memória e a emoção. Por isso, mesmo a pessoa mais calma terá seus momentos de estresse angustiante e até o ser humano mais coerente terá reações estúpidas que deixarão os outros perplexos.

Você se considera plenamente equilibrado?

Todos experimentamos desequilíbrios.
Mas quero deixar bem claro
que pessoas excessivamente
desequilibradas – impulsivas,
flutuantes, punitivas, autopunitivas,
cobradoras, autocobradoras –
costumam ser causadoras de desastres
sociais, seja na família, na escola ou na
empresa, e se tornam fonte de estresse
para si e para os outros.

Certa vez, ao dar uma conferência para um público formado por cerca de 5 mil professores, psicólogos e profissionais liberais, perguntei: Quem cobra demais dos outros? Cerca de 20% a 30% dos participantes levantaram a mão. Depois, como sempre faço, perguntei: Quem cobra demais de si mesmo? E, infelizmente, a resposta foi a mesma de sempre, a mesma que vejo em todos os lugares em que dou conferências, dos Estados Unidos à Colômbia, da Espanha a Dubai. Mais de 60% dos presentes levantaram a mão. São profissionais eficientes, mas carrascos de si mesmos. Quem cobra demais de si é um autossabotador, pois aumenta os níveis de exigência para ser feliz, realizado, relaxado. Comete um crime contra a própria qualidade de vida.

E você? Costuma sabotar sua tranquilidade e sua felicidade? Você comete esse crime?

O FENÔMENO DO AUTOFLUXO: A FONTE DE ENTRETENINENTO

Autofluxo é um fenômeno inconsciente de vital importância para o psiquismo humano.

O Eu faz uma leitura lógica,
dirigida e programada da memória,
ainda que incoerente e destituída
de profundidade. Já a leitura do
autofluxo é diferente. Ele faz uma
varredura inconsciente, aleatória
e não programada dos mais diversos
campos da memória, produzindo
pensamentos, imagens, ideias,
fantasias, desejos e emoções no teatro
psíquico. Cria os pensamentos que
nos distraem, imagens mentais
que nos animam, emoções que nos
fazem sonhar. Transforma todos
nós em viajantes sem compromisso
com o ponto de partida, o caminho
e a linha de chegada. Diariamente,
cada ser humano ganha do autofluxo
vários "bilhetes" para viajar pelos
pensamentos, pelas fantasias, pelo
passado, pelo futuro.

Às vezes ficamos surpresos com a imensa criatividade de nossa mente. O responsável por isso é justamente o fenômeno do autofluxo, que mantém vivo o fluxo das construções intelecto-emocionais a cada momento existencial. Um presidiário pode ter o corpo confinado atrás das grades, mas sua mente está livre para pensar, fantasiar, sonhar, imaginar. Isso graças ao autofluxo.

O fenômeno do autofluxo pode até causar problemas algumas vezes, mas sem ele morreríamos de tédio, solidão, angústia existencial, teríamos depressão coletiva.

A meta fundamental desse fenômeno inconsciente é ser nossa maior fonte de entretenimento.

Se uma pessoa não tiver o mecanismo do autofluxo adequadamente livre e criativo ao longo da vida, ela será triste, mesmo tendo todos os motivos para ser feliz. Será pessimista, negativa, ingrata, chafurdará na lama das reclamações, apesar de ter todas as razões para agradecer por seu sucesso, sua família e seus amigos.

Educadores que cobram excessivamente dos filhos e alunos, que os comparam, punem e criticam, podem gerar pessoas que nunca se sentirão realizadas.

MENTES AGITADAS

Nunca a mente humana esteve tão estressada quanto na atualidade. Algumas pessoas têm a mente tão agitada que não conseguem se concentrar em nada. Não prestam atenção quando estão lendo um livro (parece que não gravam nada da leitura) ou ouvindo alguém (parece que viajam para outro mundo). Essas pessoas excitaram tanto o fenômeno do autofluxo que acabaram desenvolvendo a Síndrome do Pensamento Acelerado (SPA). Elas têm a mente hiperpensante, inquieta, preocupada.

Hoje em dia, o autofluxo, que deveria ser uma fonte de entretenimento, tornou-se a maior fonte de ansiedade e terrorismo psicológico. Se não aprendermos a gerenciar a produção de pensamentos, poderemos viver a pior prisão do mundo dentro de nossa mente.

Você gasta grande parte do tempo vivendo no mundo dos seus pensamentos?

CAPÍTULO 3

AS JANELAS DA MEMÓRIA E O ESTRESSE CAUSADO PELA ACELERAÇÃO DO PENSAMENTO

AS JANELAS DA MEMÓRIA

Nos computadores, temos acesso a todos os campos de memória da máquina. Já na memória humana, os dados são arquivados em áreas específicas – as janelas –, que requerem variadas "chaves" para serem acessadas.

Nosso grande desafio é abrir o máximo de janelas durante um momento de tensão. Entretanto, se as fechamos, podemos reagir instintivamente, como animais irracionais – e, desse modo, nos deixar levar por sentimentos como raiva, ciúme, fobia, compulsão, necessidade neurótica de poder e dependência.

As janelas representam regiões da memória em que o Eu, o gatilho e o autofluxo podem se ancorar para construir pensamentos.

HÁ TRÊS TIPOS DE JANELA:

- Neutras: Correspondem a mais de 90% de todas as áreas da memória. Elas contêm bilhões de informações neutras, sem conteúdo emocional, tais como números, endereços, telefones, informações escolares, dados corriqueiros, conhecimentos profissionais.

- *Killer* (ou traumáticas): Correspondem a todas as áreas traumáticas que vivenciamos ao longo da vida e registram conteúdo emocional angustiante, fóbico, tenso, depressivo, compulsivo. *Killer*, em inglês, quer dizer assassino; portanto, são janelas que controlam, amordaçam, asfixiam a liderança do Eu. As janelas *killer* contêm frustrações, perdas, crises, traições, medos, rejeições, inseguranças, ódio e raiva.

- *Light*: Correspondem a todas as áreas com conteúdo prazeroso, tranquilizador, sereno, lúcido, coerente. *Light* significa luz. Portanto, as janelas *light* "iluminam" o Eu, alicerçam sua maturidade, sua lucidez, sua coerência. Elas contêm experiências e emoções saudáveis, como superação, coragem, sensibilidade, capacidade de se colocar no lugar do outro, de pensar antes de agir, de amar, solidarizar-se, tolerar.

TÉCNICAS INEFICIENTES PARA ALIVIAR O ESTRESSE

Parar de pensar no problema, excluir desafetos, ir ao shopping, ver TV, tirar férias, fugir do clima pesado ou "botar tudo para fora" são técnicas comumente usadas para aliviar o estresse. Mas são eficientes? De maneira geral, não. Algumas são até destrutivas. As pessoas que colocam "tudo para fora", que não guardam nada, que dizem que são sempre verdadeiras, têm na realidade uma grande falta de autocontrole. Machucam os outros com a intenção de aliviar a própria dor.

Tentar desviar a atenção ou se distrair para superar o estresse e os conflitos é a pérola das técnicas populares utilizadas pelo Eu. É a mais usada pela maioria das pessoas. Mas reitero: tem baixo nível de eficiência. Infelizmente, milhões de pessoas que foram vítimas de bullying, sofreram perdas, traições e rejeições ou atravessaram crises depressivas e ansiosas tentaram usar essa técnica e falharam.

Há causas complexas que justificam essa ineficiência. Vou citar uma: as janelas *killer* duplo P. Para compreender o que elas significam, temos que penetrar em algumas áreas que estão no epicentro do funcionamento da mente.

Algumas janelas *killer* ou traumáticas
são tão poderosas que se tornam
estruturais ou duplo P, ou seja,
com duplo poder: de encarcerar o
Eu e de expandir a própria janela
ou a zona de conflito.

O poder de atração desse tipo de
janela conduz à ancoragem ou à
fixação do Eu.

Quando alguém nos ofende, rejeita ou humilha, não conseguimos parar de pensar na dor e no seu agente causador. A fixação do Eu se torna tão intensa que é inútil tentar se distrair ou se desviar do foco de tensão. E quanto mais pensamos e nos angustiamos, mais o outro poder dessa janela ganha força – ou seja, mais o fenômeno RAM (registro automático da memória) imprime tais pensamentos e angústias, expandindo o núcleo traumático da própria janela *killer* duplo P e adoecendo-nos.

Quando temos uma janela *killer* solitária, que chamo de janela pontual ou puntiforme, ela não chega a nos adoecer. Mas quando uma janela *killer* duplo P expande seu núcleo estressante, forma-se uma zona de conflito que aciona espontaneamente uma característica doentia da personalidade.

As pessoas expressam irritabilidade, impulsividade, afetividade, tolerância, ponderação ou radicalismo porque possuem uma plataforma de janelas. Para que um trauma nos leve a adoecer, ele precisa gerar uma zona de conflito, com inúmeras janelas *killer* ao redor do núcleo de uma janela *killer* duplo P.

Assim, para dar fim a esse processo é fundamental usar técnicas mais eficientes, como o DCD (duvidar, criticar e determinar), que veremos adiante.

UM CÉREBRO AGITADO E HIPERPENSANTE

A Teoria da Inteligência Multifocal demonstra que, sem esses atores coadjuvantes, o Eu não se formaria. Não saberíamos quem somos, não teríamos identidade. Afinal, antes de começar a ter consciência de si mesmo, o Eu precisa arquivar na memória milhões de pensamentos durante os primeiros anos de vida. Mas quem produz esses pensamentos? Os três atores coadjuvantes já citados: gatilho da memória, autofluxo e janelas da memória.

Entretanto, a produção de pensamentos pode se tornar um grande ladrão da qualidade de vida e da felicidade.

Acredite: seus maiores inimigos não estão fora, mas dentro de você. Você pode se tornar o maior algoz de si mesmo.

Vejamos como o pensamento pode transformar nossa vida num canteiro de estresse e ansiedade.

Nós não conseguimos parar de pensar. Quando não pensamos conscientemente, os três atores pensam sem desejarmos. Mesmo durante o mais profundo estado de relaxamento a produção de pensamentos não paralisa por completo, apenas desacelera.

Pensar é saudável; o problema é pensar em excesso e com ansiedade.

Infelizmente, nossa mente tem se tornado uma inesgotável fonte de preocupações.

As pessoas vivem atormentadas com suas atividades. Têm a mente inquieta. Pensam nisso, pensam naquilo. Mal resolveram um problema, outros dez já aparecem no teatro da sua mente.

Fique alerta! Seus pensamentos inquietantes geram ansiedade e estressam seu cérebro. Eles aniquilam cientistas, abatem religiosos, destronam reis.

Muitas pessoas têm motivo de sobra para sorrir, mas suas preocupações e ideias negativas as tornam ansiosas, irritadas e tristes. Não descansam. Vivem fatigadas. Às vezes, são especialistas em resolver problemas dos outros, mas não sabem resolver os seus. Não aprenderam a gerenciar os próprios pensamentos.

O que afeta nossa qualidade de vida não é apenas a qualidade dos pensamentos, é também a velocidade com que pensamos. Tudo fica mais complicado quando os pensamentos são acelerados. Mesmo se o conteúdo for positivo, o aceleramento gera um desgaste cerebral intenso, produzindo ansiedade e outros sintomas.

Uma das grandes descobertas da Teoria da Inteligência Multifocal é que a velocidade excessiva do pensamento provoca a Síndrome do Pensamento Acelerado – SPA. Pensar com consciência crítica é bom, mas pensar demais é uma bomba contra a saúde psíquica.

Você tem essa bomba na mente? Se tem, é preciso desarmá-la. Quem pensa excessivamente, sem qualquer gerenciamento por parte do Eu, pode sofrer um desgaste cerebral altíssimo, que provoca alta carga de sintomas psicossomáticos.

Nós podemos ter vantagens ao acelerar as coisas no mundo exterior: os transportes, a automação industrial, a velocidade das informações nos computadores. No entanto, nunca deveríamos acelerar a construção de pensamentos.

CAUSAS DA SPA

Uma mente hiperpensante é uma das principais fontes de estresse cerebral.

A SPA pulverizou-se em todos os povos e culturas. Entre suas causas, podemos citar o excesso de informações, de preocupações, de trabalho intelectual, de uso de internet, smartphones e videogames. Essa avalanche de dados faz com que uma criança de hoje tenha mais informações do que um adulto de tempos passados. E todo esse excesso de estímulos satura o cérebro e estimula o fenômeno do autofluxo a acelerar o processo de construção de pensamentos numa velocidade nunca vista.

CONSEQUÊNCIAS PREOCUPANTES

- Ansiedade, irritabilidade, consumismo e insatisfação crônica gerados pelo excesso de informação. Uma criança de 7 anos hoje tem provavelmente mais informação na memória do que tinham os imperadores romanos que dominavam o mundo.

- Perda do prazer de aprender, que tem levado os professores a ser cada vez mais cozinheiros do conhecimento, preparando um alimento para uma plateia que tem pouco apetite.

- Morte precoce do tempo emocional. Vivemos o dobro do que as pessoas viviam na Idade Média; hoje, porém, 80 anos passam emocionalmente tão rápido como 20 anos no passado.

- Infantilização da emoção. Muitos adultos de 30 ou 40 anos têm idade emocional de 15. Não têm resiliência, não sabem lidar minimamente com contrariedades, crises, críticas.

A ansiedade atinge pessoas das mais diversas idades e classes sociais.

Por exemplo, recentemente dei uma conferência para 8 mil pessoas em Minas Gerais e outra para 500 mulheres empreendedoras de São Paulo. Em ambas as ocasiões, fiz um teste para avaliar o nível de ansiedade dos participantes. A grande maioria estava tão estressada, irritadiça e fatigada que deveria estar relaxando num hotel-fazenda, e não assistindo a uma palestra. Em todos os lugares em que dou conferências a incidência é a mesma.

O alarmante é que pediatras, psiquiatras, psicopedagogos e psicólogos estão confundindo a SPA com hiperatividade. Esse erro de diagnóstico é trágico, pois leva à prescrição exagerada de medicamentos para controlar um problema que nós causamos nas crianças.

Qual é a solução? Incentivar atividades contemplativas e lúdicas, de contato com a natureza, de leitura de livros, de aprendizado de música, artes plásticas, artes cênicas.

Lembre-se de que pais e professores inteligentes formam sucessores, não herdeiros.

A ansiedade doentia estressa o cérebro a tal ponto que compromete a capacidade de resposta, o autocontrole, promove a intolerância e gera sintomas psicossomáticos.

Mas não devemos nos esquecer de que existe uma ansiedade saudável que nos inspira, motiva, anima, encoraja a ter curiosidade e a andar por lugares nunca antes explorados.

10 SINTOMAS DA ANSIEDADE DOENTIA E ESTRESSANTE

1. Fadiga ao acordar.

2. Dores de cabeça.

3. Dores musculares.

4. Agitação mental e dificuldade de lidar com o tédio.

5. Baixo limiar para suportar frustrações.

6. Sofrimento por antecipação.

7. Flutuação emocional: tranquilo em um momento e com reações explosivas em outro.

8. Dificuldade de conviver com pessoas lentas.

9. Transtorno do sono.

10. Déficit de concentração e déficit de memória.

Você sente que precisa desarmar a bomba do estresse causado pela SPA? Sofre por antecipação? Anda esquecido? Sua paciência está no limite? Acorda com fadiga?

Há anos venho alertando sobre essa síndrome epidêmica, mas parece que ainda estamos dormindo. Todos os professores no mundo já perceberam que nas duas últimas décadas as crianças e os adolescentes estão cada vez mais agitados, inquietos, sem concentração, sem respeito uns pelos outros, sem prazer de aprender. A causa disso é a SPA.

Grande parte dos jovens e adultos acorda cansada porque gasta muita energia pensando, e o sono não consegue repor a energia na mesma velocidade. Então o cérebro começa a produzir uma série de sintomas psicossomáticos. Mas poucos ouvem o corpo se manifestando.

Recentemente, fiquei muito preocupado e abalado ao visitar uma escola particular modelo numa grande cidade brasileira. Para minha surpresa, na plateia havia não apenas pais e professores, mas também alunos da escola na faixa de 7 a 10 anos. Depois de minha exposição sobre a SPA, pedi aos adultos que tinham os sintomas dessa síndrome que levantassem a mão. Aproveitei e perguntei também às crianças. A maioria acordava cansada, tinha dores de cabeça, dores musculares, sono de má qualidade, déficit de memória. Elas só não levantaram a mão quando perguntei se tinham queda de cabelo. Todos os adultos ficaram chocados.

Déficit de memória, dores de cabeça e fadiga ao acordar são clamores do cérebro nos avisando que a luz vermelha acendeu, que estamos destituídos de qualidade de vida. Mas também não ouvimos esse pedido de socorro. O esquecimento corriqueiro é uma proteção do cérebro, bloqueando janelas da memória com o objetivo de diminuir nossa agitação mental – ou seja, tentando nos fazer pensar menos.

De que adianta ser o mais rico do cemitério? De que adianta ser o mais eficiente profissional no leito de um hospital?

De que adianta ser uma máquina de trabalhar se não temos tempo para as pessoas que mais amamos? De que adianta ter uma cama confortável se não sabemos dormir noites maravilhosas?

A SPA E A EXPLOSÃO DO USO DE DROGAS

Por não terem desvendado o processo de construção de pensamentos, muitos cientistas, psicólogos e educadores em todo o mundo não entendem que uma das principais causas da explosão do uso de drogas na atualidade são os altos níveis de insatisfação e ansiedade gerados pela SPA.

Jovens dominados por essa síndrome têm os freios sociais reduzidos. Se não têm um Eu bem formado, se não têm autonomia, se não têm opinião própria, podem ficar mais vulneráveis à pressão dos amigos e ao sentimento de exclusão social. Assim, procuram os efeitos das drogas para participar do grupo, para aliviar a insatisfação, a ansiedade e a angústia decorrentes da mente estressada.

Esses jovens esquecem ou desconhecem, entretanto, que essa pode ser a porta de entrada para uma masmorra psíquica. Quanto mais usam drogas, mais hiperaceleram os pensamentos, mais aumentam a ansiedade, mais expandem a insatisfação e mais procuram alívio nas drogas. Esse círculo vicioso gera a síndrome CiFe (Síndrome do Circuito Fechado da Memória) psicoadaptativa.

A CiFe produz o cárcere da memória, vicia o processo de leitura dos dados num pequeno círculo ou área. A dependência se instala quando o circuito da memória se fecha.

Na adolescência, o Eu deveria estar razoavelmente formado para gerenciar os pensamentos, relaxar, não sofrer por antecipação, não se angustiar por ideias perturbadoras nem cobrar demais de si e dos outros. Na vida adulta, o Eu deveria estar estruturado a ponto de assumir plenamente a capacidade de liderança da mente, o que, infelizmente, não ocorre.

Numa escala de 0 a 10, que nota você daria para a formação do seu Eu? Ele é um bom gerente dos seus pensamentos ou sua mente é uma lata de entulho?

Um Eu maduro tem consciência
de que a produção de um pequeno
pensamento representa um fenômeno
tão complexo que milhões de
computadores interligados jamais
conseguirão realizar. Sabe que
os computadores nunca terão a
consciência da existência, estarão
sempre mortos para si mesmos.
Computadores jamais sentirão culpa,
medo, ansiedade, júbilo, desejo de
mudar as suas rotas.

CAPÍTULO 4

COMO ADMINISTRAR A ANSIEDADE E O ESTRESSE

Muitas pessoas vivem em função dos problemas do passado. Algumas remoem seus erros, suas falhas, suas inseguranças e se culpam intensamente. Como já comentei, a culpa controla o prazer de viver e a liberdade dessas pessoas. Elas perdoam os outros, mas não se perdoam. O sentimento de culpa é útil para reconhecermos os nossos erros, não para nos martirizarmos e nos deprimirmos.

O pensamento antecipatório é outro grande ladrão da qualidade de vida. Quem tem a SPA costuma sofrer pelos problemas antes mesmo de eles acontecerem. E provavelmente mais de 90% desses pensamentos antecipatórios não se tornarão reais. É um sofrimento inútil.

Jovens se martirizam pela prova que farão; mães, por imaginar que suas crianças usarão drogas; executivos, por fantasiar a perda do emprego; adultos, por criar doenças que não possuem.

Você costuma sofrer por antecipação?

A TÉCNICA DO DCD (DUVIDAR, CRITICAR, DETERMINAR)

Essa excelente técnica para gerenciar os pensamentos constitui-se de três pilares que são as pérolas da inteligência humana:

- a "arte de duvidar" é o princípio da sabedoria na filosofia;

- a "arte de criticar" é o princípio da sabedoria na psicologia;

- a "arte da determinação estratégica" é o princípio da sabedoria na área de recursos humanos.

A técnica do DCD deve ser aplicada várias vezes por dia, com emoção e coragem. Você deve, a cada momento, duvidar de tudo que o controla, criticar todo pensamento perturbador e determinar estrategicamente aonde quer chegar.

Duvide de todas as suas falsas crenças. Duvide de que não consegue superar seus conflitos, suas dificuldades, seus desafios, seus medos, sua dependência. Duvide de não ser autêntico, transparente e honesto consigo mesmo. Duvide de que não é capaz de ser livre nem autor da própria história. Duvide de que não pode brilhar como pai ou mãe, como ser humano e como profissional. Lembre-se de que tudo aquilo em que você crê o controla. Se não duvidar frequentemente das suas falsas crenças, elas o escravizarão e, assim, você não conseguirá reeditar o filme do inconsciente.

Critique cada ideia pessimista, cada preocupação excessiva e cada pensamento angustiante. Jamais se esqueça de que cada pensamento negativo deve ser combatido com a arte da crítica. Seu Eu tem que deixar de ser passivo, tem que questionar a raiva, o ódio, a inveja. Critique a ansiedade, a agitação mental, a necessidade de estar em evidência social. Questione seu medo do futuro, de não ser aceito, de falhar.

Após exercer a arte de duvidar e criticar no palco da mente, pratique o terceiro estágio da técnica: determine estrategicamente ser livre, não ser escravo dos seus conflitos. Entre desejar e determinar há uma lacuna imensa. Não basta desejar; é preciso determinar com disciplina, mesmo que o mundo desabe sobre você. Determine lutar por seus sonhos, por ter uma mente saudável e generosa. Decida continuamente ter um romance com a própria história e jamais se abandonar. Determine agradecer mais e reclamar menos, abraçar mais e julgar menos, elogiar mais e condenar menos.

Aplique a técnica dezenas de vezes por dia, com muita garra e vontade de reorganizar e reescrever sua história, como se fosse o grito de liberdade de alguém que sai da condição de espectador passivo na plateia, entra no teatro da mente e proclama: "Eu escreverei o script da minha vida!"

Entregue-se a ela com tanta emoção quanto a de um advogado de defesa ao defender seu cliente de ser condenado e encarcerado. Você deve impugnar, confrontar e discordar das suas mazelas psíquicas.

Mas não se esqueça de que determinar ser livre só tem efeito se primeiro você treinar a arte de duvidar e criticar. Caso contrário, a arte de determinar se tornará uma técnica de motivação superficial que não suportará o calor dos problemas do dia a dia.

A técnica do DCD pode reeditar as janelas *killer* e oxigenar o centro da memória. Assim como se faz higiene bucal e corporal diariamente, a higiene mental também deve ser feita com a mesma constância, para que possamos reeditar as janelas da memória e fundamentar o Eu como gerenciador psíquico nos focos de tensão.

Não basta desejar ser livre. É necessário construir a liberdade.

UM MESTRE EM DESESTRESSAR O CÉREBRO

As habilidades intelectuais de Jesus abalaram a ciência moderna pela sua exímia capacidade de gerenciar os próprios pensamentos. Os estímulos estressantes e as pressões sociais a que ele foi exposto desde a infância poderiam tê-lo transformado numa pessoa irritada, impulsiva, sem controle das reações, mas sua mente era calma como uma lagoa plácida. O Mestre dos mestres era tão tranquilo que talvez tenha sido o único na história a ter coragem de convidar as pessoas a beber da fonte de sua tranquilidade. Somente alguém que lidera os próprios pensamentos pode ser tão sereno.

Toda pessoa que é marionete das ideias negativas vive como um mar agitado.
Só quem está no controle das suas emoções consegue sentir a brisa suave da calmaria.

O Mestre da vida sabia quando e como iria morrer. Como ele tinha conhecimento disso? Não sabemos. Além disso, esse assunto entra na esfera da fé e, portanto, a ciência silencia. Entretanto, na investigação científica, podemos dizer que mesmo essa terrível fonte de estímulos estressantes não desgastou sua energia cerebral nem debilitou seu corpo físico. Por quê?

Porque ele tinha consciência do amanhã, mas não gravitava em torno dele. Ele até nos vacinou contra a SPA, dizendo: "Basta a cada dia o seu próprio mal." Ele se recusava a acelerar seu pensamento e a sofrer por antecipação. Seu Eu era o ator principal no teatro da sua mente. Ele vivia o presente.

Jesus governava seus pensamentos, criticava silenciosamente as ideias que lhe assaltavam a paz. Só admitia pensar nos problemas futuros o suficiente para tomar consciência deles e se preparar para superá-los. Ele determinava viver apenas os problemas reais do presente.

UM MESTRE EM FORMAR LÍDERES

O homem Jesus ensinou pessoas complicadas a se tornarem uma fina estirpe de pensadores. Por meio das suas parábolas e das situações estressantes em que se envolvia, ele estimulava seus discípulos a serem líderes de si mesmos, de suas ideias, de suas emoções, de seus medos, de suas arrogâncias e inseguranças.

Se analisarmos suas quatro biografias com os olhos da psicologia, veremos que ele bombardeava de perguntas as pessoas que o circundavam. Por quê? Porque almejava que elas abrissem o leque da inteligência, pensassem antes de reagir, se questionassem, criticassem suas ideias e governassem sua psique.

Como professor, Jesus foi, sem dúvida, o maior formador de pensadores de que se tem notícia.

CAPÍTULO 5

CAPÍTULO 5

O EU PODE ESTRESSAR O CÉREBRO OU PROTEGÊ-LO

OS DIVERSOS TIPOS DE EU DOENTE

O Eu doente é lento para perceber as luzes vermelhas piscando no painel da saúde psíquica e do estresse cerebral. Somos incoerentes no único lugar em que deveríamos ser inteligentes e saudáveis: dentro de nós mesmos.

As escolas secundárias e as universidades preparam os alunos para aprender matemática, mas não preparam o Eu de cada um para conhecer a matemática das relações sociais, em que dividir é aumentar.

Na matemática numérica, toda divisão diminui os números, mas nas relações sociais ocorre o contrário. Alunos que não aprendem a dividir sua atenção, seus sentimentos, seu tempo e seu respeito desenvolvem não apenas um cérebro ansioso e estressado, mas também um Eu egocêntrico, individualista, que não sabe trabalhar em equipe e que não se preocupa com as angústias dos outros.

Professores que sabem transmitir informações mas não conseguem dividir momentos importantes da própria história com os alunos estão aptos a programar computadores, mas não a formar pensadores afetivos, altruístas, generosos e que preservam o cérebro de um estresse doentio.

Esse tipo de educação forma herdeiros imediatistas, gastadores irresponsáveis, que não sabem construir seu legado. Além disso, tais professores também estressam o próprio cérebro, pois ensinam sem tempero, sem encantamento, sem emoção.

Crianças e adolescentes que não aprendem a dividir suas roupas e outros objetos com irmãos ou amigos poderão pautar sua personalidade por disputas irracionais no futuro, não beberão das águas da tranquilidade e da solidariedade.

Quem é individualista estressa seu cérebro e o das pessoas à sua volta. Um Eu superficial tende a educar um Eu superficial. Um Eu doente tende a formar um Eu também doente.

Que educação é essa que ensina a física, a lei da ação e reação, mas não a bela física da emoção, que demonstra que não devemos jamais viver pelo binômio "bateu-levou"?

Um Eu despreparado para ser líder de sua mente não sabe que uma pequena ação, como um olhar de desprezo ou um apelido ofensivo, pode criar janelas *killer* com alto poder de atração, agregar outras janelas e levar à formação de uma plataforma, que desencadeará características de personalidade doentias, como ódio, violência, autorrejeição e timidez.

Que educação é essa que ensina línguas para nos comunicarmos com o mundo, mas não nos ensina a nos comunicarmos com os medos, as manias e as preocupações tolas produzidas em nossa mente?

Certa vez dei uma conferência para professores de medicina e disse--lhes que devemos formar médicos que conheçam minimamente o funcionamento da mente e que desenvolvam um Eu capaz de proteger a emoção de seus pacientes e deles próprios.

Como frequentemente os pacientes estão fragilizados e dominados por preocupações perturbadoras, as reações dos médicos têm grande eco intrapsíquico. Distribuir elogios e dar apoio, esperança e atenção são atitudes que podem plantar janelas *light* e estimular a cooperação dos pacientes pela própria recuperação.

Já demonstrações de frieza,
indiferença e rispidez podem, ao
contrário, plantar janelas *killer*
no córtex cerebral dos pacientes,
prejudicando-os em sua luta pela vida.

O EU ENGENHEIRO

O Eu saudável deve ser um engenheiro de janelas *light*, um protetor da memória, um agente que abranda o estresse cerebral. Mas nosso Eu é líder de si mesmo?

Nossa carga genética, o ambiente intrauterino, as relações familiares e o sistema educacional contribuem para a formação de milhares de janelas com milhões de experiências. Entretanto, durante o processo de formação da personalidade, à medida que a criança começa a determinar o que quer, o Eu deveria começar a proteger sua emoção, a filtrar estímulos estressantes e a fazer suas escolhas.

Durante a adolescência, o Eu deveria proteger a memória com a técnica do DCD, bem como desenvolver a habilidade de deixar de ser vítima dos conflitos psíquicos, sociais e até das influências genéticas e passar a escrever o script da própria vida.

Na vida adulta, o Eu deveria ter consciência dos seus papéis e exercê--los com maturidade. Ninguém poderá fazer essa tarefa pelo Eu. No máximo, poderá receber ajuda de um psiquiatra ou psicoterapeuta. Assim como poderá também ser influenciado por pais, professores, amigos, filósofos, religiosos, livros e informações.

Tanto o "Eu coitadista", com pena de si mesmo, que se acha azarado, incapaz de mudar seu status quo, quanto o "Eu conformista", acomodado, que vive na lama do continuísmo, que não se arrisca a andar por lugares nunca antes percorridos, viverão no cárcere do tédio, não serão engenheiros da própria história.

Seu Eu é um engenheiro da própria história ou um servo que se submete às ordens dos conflitos e da preocupação excessiva com a imagem social?

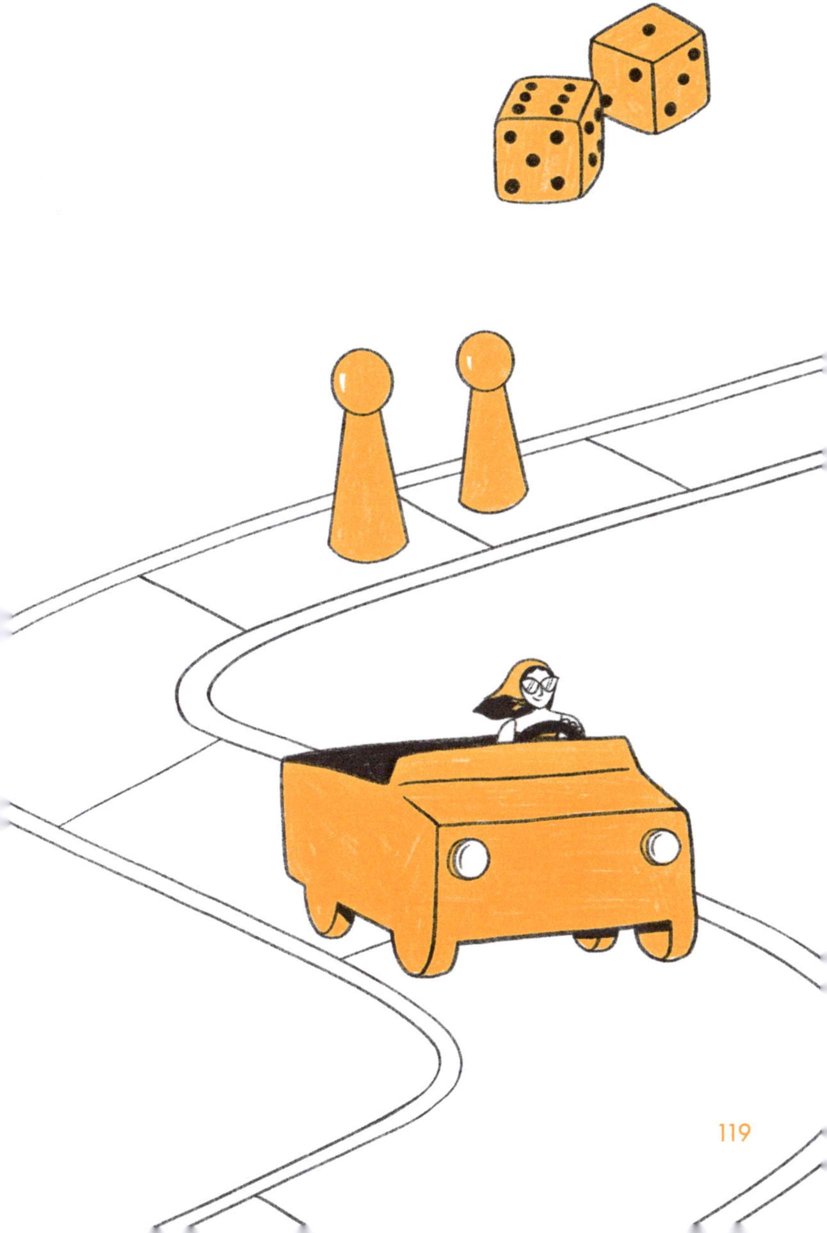

Um Eu engenheiro determinará seu futuro emocional, seu sucesso em produzir relações saudáveis e até sua eficiência em libertar a criatividade.

Somos hábeis em explorar jazidas de petróleo e de minérios, em reivindicar nossos direitos sociais, mas não em explorar nosso psiquismo e reivindicar nossos direitos intrapsíquicos: uma mente livre, uma emoção saudável, um intelecto relaxado e uma inteligência criativa.

O grande fiador desses direitos é a formação de um Eu autoconsciente, autocrítico, coerente, dosado, determinado e com níveis elevados de ousadia. Mas onde se encontra esse Eu? Onde ele é formado? Onde ele é nutrido, trabalhado, lapidado, equipado?

Pessoas excessivamente críticas, que não têm papas na língua, que falam tudo o que lhes vem à mente também têm um Eu desnutrido, que não sabe ter autocontrole. Vivem estressadas e estressando seus filhos, cônjuge, alunos, colegas de trabalho. Podem ser ótimas para criticar os outros, ousadas para falar o que pensam, mas infantis para se repensar e se proteger.

Gerenciar os pensamentos é ser livre para pensar, e não escravo dos pensamentos.

Pensar com consciência é ótimo. Pensar demais e sem gerenciamento é um estímulo para o estresse cerebral.

Monitore a Síndrome do Pensamento Acelerado. Não seja uma máquina de trabalhar, de se preocupar, de realizar infindáveis atividades.

Exercite não sofrer por antecipação. Treine não ter uma mente agitada, ansiosa, irritadiça, que tem baixa tolerância às frustrações. Nunca se esqueça de que os fortes são pacientes, enquanto os frágeis não dão uma nova chance nem para si nem para os outros.

Recicle todos os dias as ideias perturbadoras, as fobias, o sentimento de incapacidade, a preocupação excessiva com o que os outros pensam e falam de você.

Tenha consciência dos atores coadjuvantes no teatro da mente que constroem pensamentos, mas não os deixe dominar o palco. Para encontrar seu ponto satisfatório de equilíbrio mental e emocional é necessário treinamento.

Mas lembre-se de que não existe equilíbrio perfeito, pessoas perfeitas e muito menos cérebros sem estresse.

O que existe são pessoas que sabem usar técnicas psicológicas e educacionais para treinar seu Eu a fim de ser líder de si mesmo e para manter um caso de amor com sua qualidade de vida.

Todo ser humano tem uma fera dentro dele. Controlá-la é o grande desafio para encontrar o equilíbrio.

Você domina
a fera que tem
dentro de si?

REFERÊNCIAS

ADORNO, Theodor W. *Educação e emancipação*. Rio de Janeiro: Paz e Terra, 1971.

AYAN, Jordan. *AHA! - 10 maneiras de libertar seu espírito criativo e encontrar grandes ideias*. São Paulo: Negócio, 2001.

BAYMA-FREIRE, Hilda A.; ROAZZI, Antônio. *O ensino público é um desafio para todos: Encontros e desencontros no ensino fundamental brasileiro*. Recife: UFPE, 2012.

CAPRA, Fritjof. *A ciência de Leonardo da Vinci*. São Paulo: Cultrix, 2008.

CHAUÍ, Marilena. *Convite à filosofia*. São Paulo: Ática, 2000.

CURY, Augusto. *Inteligência multifocal*. São Paulo: Cultrix, 1999.

_____. *Pais brilhantes, professores fascinantes*. Rio de Janeiro: Sextante, 2003.

_____. *A fascinante construção do Eu*. São Paulo: Planeta, 2012.

_____. *O código da inteligência*. Rio de Janeiro: Sextante, 2015.

DESCARTES, René. *O discurso do método*. Brasília: UnB, 1981.

DOREN, Charles Van. *A history of knowledge*. Nova York: Random House, 1991.

FOUCAULT, Michel. *A doença e a existência*. Rio de Janeiro: Folha Carioca, 1998.

FREUD, Sigmund. *Obras completas*. Madri: Editorial Biblioteca Nueva, 1972.

FROMM, Erich. *Análise do homem*. Rio de Janeiro: Zahar, 1960.

GARDNER, Howard. *Inteligências múltiplas: A teoria na prática*. Porto Alegre: Artes Médicas, 1994.

GOLEMAN, Daniel. *Inteligência emocional*. Rio de Janeiro: Objetiva, 1995.

HALL, Calvin S.; LINDZEY, Gardner. *Teorias da personalidade*. São Paulo: EPU, 1973.

HUBERMAN, Leo. *História da riqueza do homem*. Rio de Janeiro: Guanabara, 1986.

JUNG, Carl Gustav. *O desenvolvimento da personalidade*. Petrópolis: Vozes, 1961.

LIPMAN, Matthew. *O pensar na educação*. Petrópolis: Vozes, 1995.

MORIN, Edgar. *Os sete saberes necessários à educação do futuro*. São Paulo: Cortez, 2000.

PIAGET, Jean. *Biologia e conhecimento*. Petrópolis: Vozes, 1996.

SARTRE, Jean-Paul. *O ser e o nada*. Petrópolis: Vozes, 1997.

STEINER, Claude. *Educação emocional*. Rio de Janeiro: Objetiva, 1997.

YUNES, Maria Angela Mattar. *A questão triplamente controvertida da resiliência em famílias de baixa renda*. 2001. Tese (Doutorado em Psicologia da Educação) Pontifícia Universidade Católica de São Paulo, São Paulo, 2001.

Conheça os títulos de Augusto Cury:

Ficção

Coleção *O homem mais inteligente da história*
O homem mais inteligente da história
O homem mais feliz da história
O maior líder da história

O futuro da humanidade
A ditadura da beleza e a revolução das mulheres
Armadilhas da mente

Não ficção

Coleção *Análise da inteligência de Cristo*
O Mestre dos Mestres
O Mestre da Sensibilidade
O Mestre da Vida
O Mestre do Amor
O Mestre Inesquecível

Nunca desista de seus sonhos
Você é insubstituível
O código da inteligência
Os segredos do Pai-Nosso
A sabedoria nossa de cada dia
Revolucione sua qualidade de vida
Pais brilhantes, professores fascinantes
Dez leis para ser feliz
Seja líder de si mesmo
Gerencie suas emoções

sextante.com.br